LA GRANDE IMAGERIE

L'ÉGYPTE ANCIENNE

Conception
Émilie BEAUMONT

Texte
Philippe LAMARQUE

Images
LINDEN ARTISTS

ÉDITIONS
FLEURUS

ÉDITIONS FLEURUS, 15-27, rue Moussorgski 75018 PARIS

UNE GRANDE CIVILISATION

Il y a 5 000 ans environ, sur les bords du Nil, dans l'est de l'Afrique, apparaît la civilisation de l'Égypte ancienne, qui va marquer l'Antiquité. Fondée sur l'agriculture et le commerce, elle doit sa richesse aux crues du Nil.
Les Égyptiens, divisés en plusieurs classes – prêtres, scribes, soldats, paysans, artisans –, sont dirigés par un homme tout-puissant qui est plus qu'un roi : le pharaon. Il fait construire pour lui et les dieux des monuments incroyables dont certains existent encore aujourd'hui.

Les grandes périodes

L'Ancien Empire (env. 2778 - 2100 av. J.-C.)
C'est à cette époque que sont construites les grandes pyramides, dont Saqqarah, la première, et celles de Gizeh.

Le Moyen Empire (env. 2100 - 1580 av. J.-C.)
Cette période est marquée par le règne de princes puissants et conquérants, mais se termine par l'invasion de l'Égypte par les Hyksos, venus du Proche-Orient. Construction des temples de Karnak.

Le Nouvel Empire (env. 1580 - 1085 av. J.-C.)
Les Hyksos sont chassés. De grandes dynasties marquent cette période : Aménophis, Ramsès... Ramsès II affronte les Hittites et gagne la bataille de Qadesh. Construction des temples de Louxor et d'Abou Simbel.

La Basse Époque (1085 - 332 av. J.-C.)
L'Égypte décline. L'empire est envahi par les Nubiens, les Assyriens, puis les Perses.

La période grecque (332 - 30 ap. J.-C.)
Alexandre le Grand, roi grec, conquiert la vallée du Nil et fonde la ville d'Alexandrie. Se succèdent ensuite rois et reines grecs. Cléopâtre VII est la dernière reine grecque à régner en Égypte.

La double royauté

Avant qu'elle soit réunifiée, l'Égypte était divisée en deux royaumes : la Haute-Égypte au sud, et la Basse-Égypte au nord, qui correspondait au territoire couvert par le delta du Nil. En 2900 av. J.-C., le roi de Haute-Égypte conquiert le royaume du nord. Le pharaon prend alors le titre de « roi de Haute et de Basse-Égypte ».

Ramsès II représenté lors d[...] la bataille de Qa[...]

Cléopâtre VII

MER MÉDITERRANÉE

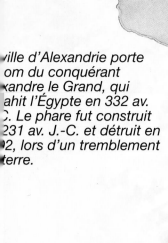

ville d'Alexandrie porte
om du conquérant
xandre le Grand, qui
ahit l'Égypte en 332 av.
C. Le phare fut construit
231 av. J.-C. et détruit en
2, lors d'un tremblement
erre.

ALEXANDRIE

BASSE-
ÉGYPTE

**LES PYRAMIDES
DE GIZEH**

GIZEH

Désert
du Sinaï

es grandes pyramides
nt l'expression d'une
ulture religieuse qui
ssocie le pharaon
t le dieu Soleil Rê.

SAQQARAH

HAUTE-
ÉGYPTE

MER ROUGE

Vallée des rois

THÈBES

KARNAK

TEMPLE D'HATSHEPSOUT

LOUXOR

TEMPLE DE LOUXOR

Hatshepsout fut la
première femme à se
proclamer roi de la Haute
et de la Basse-Égypte et
gouverna entre 1479 et
1457 av. J.-C. Elle fit
édifier ce magnifique
temple en terrasses avec
des rampes d'accès.

Devant le temple de
Louxor a été aménagée
une allée de sphinx qui
le relie à celui de Karnak.

TEMPLE D'ABOU SIMBEL

ABOU SIMBEL

Ramsès II fit construire deux
temples à Abou Simbel, un pour
lui et un autre en l'honneur de
son épouse royale Néfertari.

NUBIE

**« Terre rouge »
et « Terre noire »**

La Basse-Égypte était
surnommée « Terre noire » à
cause des boues foncées
qui s'y déposaient au moment
des crues du Nil. La « Terre
rouge » représentait la Haute-
Égypte et ses déserts arides.

il, à l'origine de l'Égypte

il a entièrement déterminé la vie des
otiens en fertilisant les terres qui le
aient, en facilitant la navigation
ale, en permettant aux commerçants
ngers de venir à l'intérieur de l'Égypte
e au delta, et en créant une voie
ommunication essentielle.
Égyptiens ont su utiliser cet atout et
ainsi fait prospérer leur royaume.

7

LA VIE QUOTIDIENNE

Les Égyptiens vivent rassemblés dans des villes et des villages où se déroule toute l'activité économique. Ils habitent en famille, au sein de laquelle différentes générations sont réunies : enfants, parents, grands-parents, cousins, oncles... Tous s'entraident et les vieillards et les malades restent à la maison. Les familles sont regroupées en clans sous la responsabilité d'un chef.

Les Égyptiens célèbrent de grandes fêtes annuelles rythmées par le calendrier solaire. Chaque année, par exemple, au moment de la crue du Nil, on procède à la grande fête de l'Opeh.

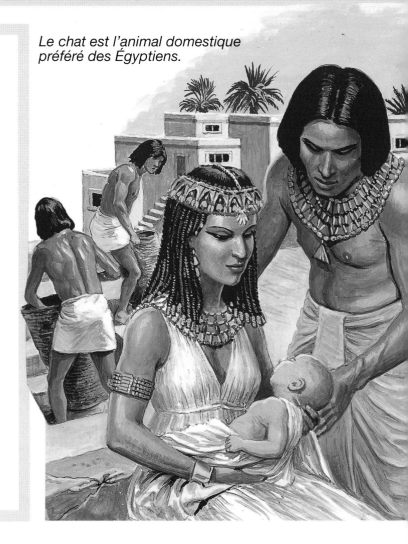

Le chat est l'animal domestique préféré des Égyptiens.

Les villes et les habitations

Les maisons sont construites en pisé (argile mélangée à de la paille hachée et moulée ou découpée en briques). Le bois de palmier sert à faire des poutres mais ne permet pas de construire des charpentes compliquées.

Paysans, artisans et commerçants se rencontrent en ville, où ont lieu les marchés. Là, ils vendent leur petite production. Les villes se développent au fur et à mesure de l'installation des familles et de leurs activité

La vie à la maison

Les familles sont grandes, car il arrive que trois générations cohabitent, mais on ne vit pas vieux à l'époque. L'aménagement des maisons est généralement simple avec peu de meubles : tabourets, lits, chaises. Les terrasses sont très importantes, elles constituent une pièce supplémentaire de la maison : on y joue, on y cuisine, on y travaille... Les familles les plus riches ont des maisons vastes avec jardin, leurs murs sont souvent ornés de fresques.

Les bijoux sont en or avec des incrustations de pierres (lapis-lazuli, turquoise).

Les enfants s'amusent à la balle ou avec des jouets à roulettes. Ils aiment jouer au senet (un jeu de pions) que les adultes apprécient aussi.

L'habillement

On porte beaucoup de lin. Ce tissu est très recherché, car, aussi doux que la soie, il est plus solide et plus frais que le coton. Les sandales à pointe recourbée sont en roseaux tissés ou en cuir. Hommes et femmes portent des bijoux pour la parure, mais aussi comme protection magique. Les femmes se maquillent avec des poudres de différentes pierres et elles se frictionnent le corps d'huiles parfumées.

s fêtes

s réjouissances, surtout chez
s riches, comportent toujours :
ets de choix, boissons,
usique, danses et
ngleries, qui plaisent
ous. Chanteuses
danseuses
traient les invités
'il s'agit de nourrir
abondance et
breuver de vin
de bière.
e fête est
ussie si les
vités sont
us et même
alades !

mmes et femmes
ennent soin de leur
evelure. Parfois, ils
rtent une perruque,
ne d'élégance. Le plus
uvent, les prêtres ont la
e complètement rasée.

L'ÉCRITURE ET L'ENSEIGNEMENT

L'écriture fait partie des traces les plus importantes qui nous restent du monde égyptien. Elle témoigne de la grande organisation de ce peuple. Celui qui maîtrise l'écriture s'appelle le scribe, il représente l'intermédiaire entre la population, les prêtres et le pharaon. Il est comptable et peut assumer de grandes responsabilités (ambassadeur, vizir...). C'est un personnage très respecté par tous. Les hiéroglyphes sont réservés aux questions sacrées et utilisés dans les temples, les tombeaux... L'écriture hiératique, plus simple, s'emploie dans le quotidien.

Le scri

Au service des dieux, des mo du pharaon, des prêtres et peuple, le scribe peut exer diverses fonctions, d celle de juge. Il relève t ce qui doit être connu le pharaon, des imp à la hauteur des cr du Nil. Au trav de l'écriture et d comptabilité qu'il tie il assure l'équili dans la société. Il est le se connaître et à savoir lire et tracer très nombreux hiéroglyp (plus de 80

Les élèves se servent de roseaux taillés, qu'ils rangent dans un plumier, et d'encres de couleur. Ils lavent l'encre pour pouvoir utiliser plusieurs fois le papyrus. Ils ont aussi des tablettes pour s'exercer à l'écriture.

L'enseignement

Souvent scribes de père en fils, les garçons étudient l'écriture jusqu'à l'âge de 16 ans. Les filles restent à la maison. Le maître est sévère. L'élève s'entraîne à atteindre la perfection du dessin. Il commence par apprendre l'écriture hiératique et il lui faut ensuite des années pour manier les hiéroglyphes. Mais tous les élèves ne parviennent pas au métier de scribe.

Les hiéroglyphes

Ce sont des signes qui représentent par des dessins une idée, un sens, un son, une fonction... Ces signes sont regroupés dans des cartouches (sortes de cases très allongées). Les hiéroglyphes s'écrivaient de gauche à droite ou inversement, et de haut en bas ou inversement.

Photo : Bridgeman-Giraudon

Gravée d'un même texte en trois écritures différentes, la pierre de Rosette a permis à Champollion de décrypter les hyéroglyphes.

Voici quelques exemples de hiéroglyphes. Chaque signe peut représenter un objet, un animal, une action ou un son. On les appelle des idéogrammes. Assemblés d'une certaine façon, ces signes pouvaient donner des phrases complètes.

1 - *œil*
2 - *pain*
3 - *vautour*
4 - *donner*

La pierre de Rosette

Découverte en 1798 dans la ville de Rachid (Rosette) par un soldat de Bonaparte, elle était gravée d'un même texte en dialecte égyptien, en hiéroglyphes et en grec ancien. Le premier des savants à avoir trouvé la clé de la traduction fut Champollion, en 1822. Passionné par les hiéroglyphes depuis qu'il était enfant, il avait appris de nombreuses langues. Dès son retour d'Égypte, il écrivit un dictionnaire d'égyptien.

Le papyrus

Cette plante de 5 m de haut pousse au bord de l'eau. Elle est fauchée, puis coupée en tronçons de la longueur souhaitée. L'ouvrier papetier taille les morceaux en fines lamelles qu'il martèle à l'aide d'un maillet. Elles sont mises les unes sur les autres en deux couches qui se croisent à angle droit. La feuille obtenue est humidifiée, couverte d'un tissu protecteur et martelée, puis remise à sécher.

11

L'AGRICULTURE, LA CHASSE ET LA PÊCHE

L'Égypte existe grâce au Nil, un fleuve généreux qui donne la vie au désert qu'il traverse. Venu des hautes montagnes enneigées d'Afrique centrale, il traverse 6 700 km de rochers et de sables arides jusqu'à la Méditerranée. Le Nil se charge alors de boue en dévalant les pentes. Tous les prêtres et paysans prient les dieux d'apporter la crue. Fin septembre, l'inondation recouvre les rives puis se retire en déposant cette couche de boue (limon) qui laisse dans les champs une terre excellente pour la culture.

L'irrigat

Les inondations brusques, qui risqu d'emporter les maisons, les ferme leurs habitants, sont canalisées des talus de terre et dans des rigo Les eaux s'engouffrent jusqu pied des collines et permett ainsi d'augmenter les surfa cultivées. Les scri et les prê possèder science l'irrigat

Le puits à baland (ci-contre) perme de soulever des seaux d'eau sans trop d'efforts.

La pêche

Les pêcheurs parcourent le Nil sur de petites barques construites en bottes de roseaux. Le Nil regorge de poissons, mais il faut prendre garde aux crocodiles gigantesques, parfois longs de 10 m. Certains marins pêchent au filet, d'autres au harpon, connu depuis la préhistoire. Personne ne se risque à naviguer en haute mer. Les paysans mangent aussi du poisson, qu'ils échangent avec les pêcheurs contre d'autres produits.

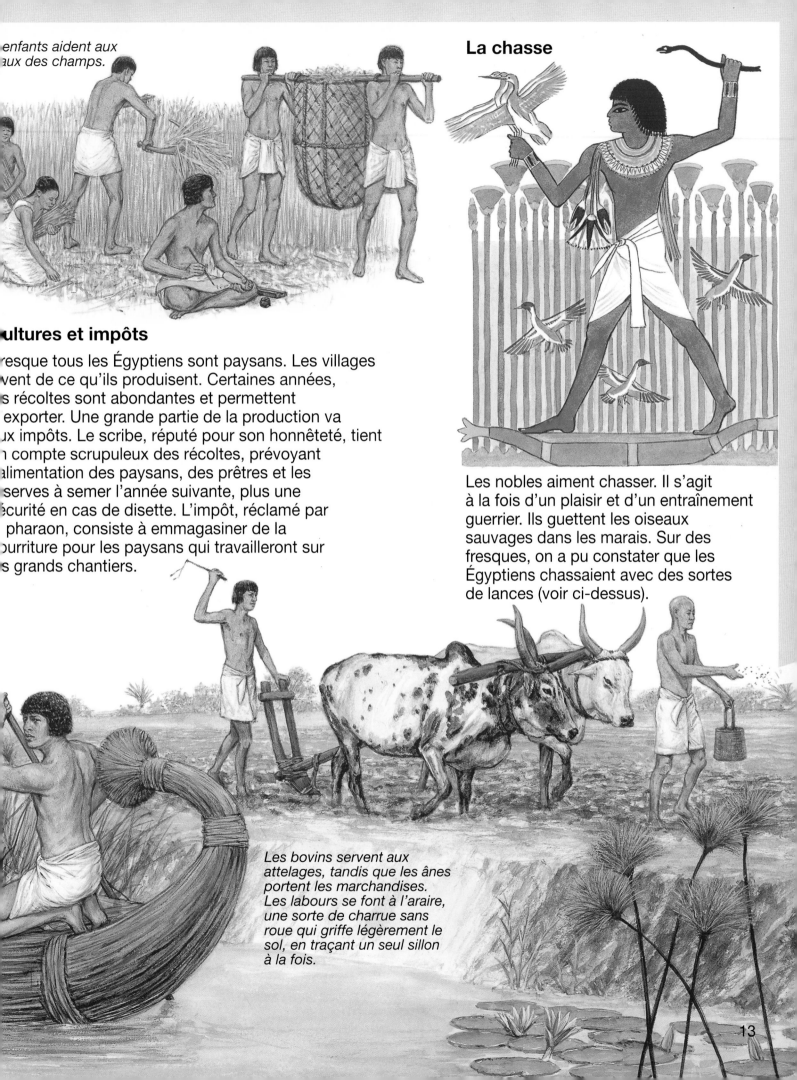

enfants aident aux
aux des champs.

La chasse

ultures et impôts

resque tous les Égyptiens sont paysans. Les villages
vent de ce qu'ils produisent. Certaines années,
s récoltes sont abondantes et permettent
exporter. Une grande partie de la production va
x impôts. Le scribe, réputé pour son honnêteté, tient
compte scrupuleux des récoltes, prévoyant
limentation des paysans, des prêtres et les
serves à semer l'année suivante, plus une
curité en cas de disette. L'impôt, réclamé par
pharaon, consiste à emmagasiner de la
urriture pour les paysans qui travailleront sur
s grands chantiers.

Les nobles aiment chasser. Il s'agit
à la fois d'un plaisir et d'un entraînement
guerrier. Ils guettent les oiseaux
sauvages dans les marais. Sur des
fresques, on a pu constater que les
Égyptiens chassaient avec des sortes
de lances (voir ci-dessus).

*Les bovins servent aux
attelages, tandis que les ânes
portent les marchandises.
Les labours se font à l'araire,
une sorte de charrue sans
roue qui griffe légèrement le
sol, en traçant un seul sillon
à la fois.*

13

LE COMMERCE ET L'ARTISANAT

Commerce et artisanat sont bien développés : la circulation des marchandises (poteries), des matières premières (bois) et des aliments (céréales) est parfaitement assurée. L'artisanat permet de subvenir aux besoins domestiques (habillement, vaisselle, outils), et aussi au culte religieux (décoration des temples). Sur le Nil naviguent de nombreuses embarcations marchandes. Les commerçants égyptiens traversent la mer Rouge ou le désert pour exporter et importer différents biens. À cette époque, on règle ses achats par le troc.

Commerce proche et lointa[in]

La Haute-Égypte produit des denré[es] différentes de celles de la Basse-Égyp[te]. Des fruits, des légumes et des céréa[les] circulent tout le long du fleuve, mais au[ssi] de la viande et des peaux. Avec les aut[res] pays, les Égyptiens échangent papyr[us], étoffes, épices, bois et mê[me] des défenses d'ivoi[re].

Du fin fond de l'Afrique centrale jusqu'aux rivages de la Méditerranée et de la Mésopotamie, les marchandises circulent grâce à des caravanes et aux bateaux qui naviguent sur le Nil.

Le transport sur le Nil

Tout le long du fleuve se trouvent des ports. Les marchandises en transit sont manipulées par les marchands qui circulent sur le Nil et les artisans des villages côtiers. Pour être marchand, il faut souvent avoir de solides compétences de navigateur.

Les bateaux doivent être profilés pour [bien] avancer, mais aussi ventrus pour cont[enir] d'importants chargements. Les mate[lots] effectuent les manœuvres sou[s le] commandement du march[and] en person[ne].

14

Le savoir-faire des artisans

Les artisans travaillent réunis dans des ateliers dirigés par des maîtres pour chaque discipline.

Le tissage

On utilise un métier à tisser horizontal. Il s'agit souvent d'une activité exercée par les femmes. Le textile est tissé avec soin et régularité. Il est destiné aux vêtements et à l'ameublement.

La vannerie

Au bord des cours d'eau pousse l'osier, plante à croissance rapide dont les tiges minces, souples et sans nœuds peuvent être aisément travaillées pour fabriquer toutes sortes de paniers. Les aliments conservés dans ces paniers mûrissent sans se gâter.

Les potiers

Beaucoup de restes de poteries ont été retrouvés. Les traces de doigts, imprimées depuis parfois quarante siècles, permettent de distinguer les poteries qui ont été façonnées sur un établi de celles qui ont été finies sur un tour avant la cuisson (ci-contre).

Les fondeurs

Pour fondre les métaux (cuivre, zinc, étain, or), on crée un fourneau bas (ci-contre) dans lequel brûlent le minerai de métal non ferreux et le charbon de bois. Des apprentis actionnent des soufflets de cuir pour atteindre la chaleur suffisante. Le métal obtenu contient encore des impuretés. Ce n'est qu'après une deuxième fonte qu'il sera coulé dans des moules.

15

LE PHARAON, ROI DIVIN

Le pharaon est à la fois un dieu et un roi humain. Il est reconnu comme le fils de Rê, dieu du Soleil. Il cumule trois qualités : celles de chef de guerre, de prêtre et de devin. Le pharaon est donc chef d'État, chef religieux et guérisseur suprême. Une responsabilité énorme pèse sur lui : il est le lien entre le monde des dieux et le monde des hommes, c'est un être considéré comme tout-puissant et ses décisions sont incontestables. Le pharaon doit veiller sur ses sujets (le peuple), les protéger et garantir leur sécurité. Il acquiert sa fonction par sa naissance. Il peut donc arriver qu'il règne très jeune.

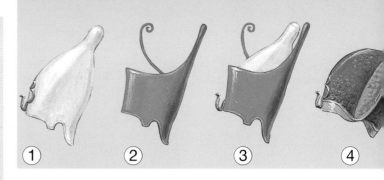

Les couronnes

Les couronnes du pharaon ont une signification précise : la couronne blanche (1) symbolise la Haute-Égypte, la rouge (2), la Basse-Égypte, tandis que la double couronne (3) représente les deux territoires réunis. La bleue (4) est portée e temps de guerre. Le pharaon se coiffe parfois aussi d'un tissu qui retombe en triangle sur ses épaules.

Les pouvoirs du pharaon

Protégé par la puissance divine, le pharaon est doté de tous les pouvoirs. Il participe à la célébration des cultes religieux et fait partie des dieux. En tant que juge sacré, ses jugements représentent la volonté des dieux. Le pharaon peut tout contrôler grâce à des hommes responsables (les fonctionnaires) qu'il désigne pour faire exécuter ses ordres.

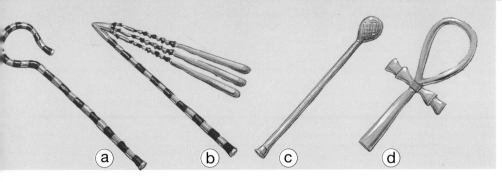

Les attributs du pharaon

La crosse (a) symbolise le pouvoir du devin, le fouet (b) représente la puissance cosmique, la massue (c) est le symbole du combattant et la croix ansée (d), celui de la vie. Le front du pharaon est orné d'un cobra, image de l'attaque ou de la protection.

...tshepsout

...tte femme s'est ...oclamée pharaon ...rès la mort de son ...oux Thoutmès II. ...e se présentait ... public sous ...pparence d'un ...mme, portant même ...e barbe postiche ! ...eut d'autres reines ...Égypte, mais c'est ...tshepsout qui régna ...lus longtemps.

Toutankhamon

Toutankhamon fut un pharaon enfant. Marié à 9 ans, il régna pendant une dizaine d'années jusqu'à 20 ans, âge auquel il mourut. L'existence de ce pharaon ne fut connue qu'en 1922, quand on découvrit sa tombe renfermant des milliers d'objets magnifiques.

Un chef militaire

Chef de l'armée, le pharaon peut engager son peuple à mener de grandes batailles. Ses soldats disposent d'armes en bois et en bronze et de boucliers en bois avec des poignées en cuir. Certains sont protégés par des armures. Ces guerriers rentrent souvent très jeunes dans l'armée.

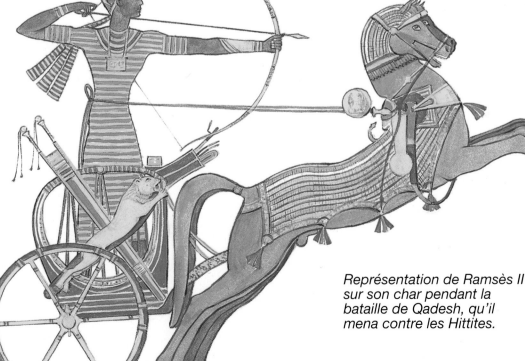

Représentation de Ramsès II sur son char pendant la bataille de Qadesh, qu'il mena contre les Hittites.

17

LES PYRAMIDES

Plus de 70 pyramides ont été construites pendant l'Ancien et le Moyen Empire. C'étaient les demeures des pharaons momifiés. Au cœur des pyramides se trouvait le tombeau du pharaon entouré de nombreux objets destinés au roi pour son voyage vers l'au-delà. La première fut celle de Saqqarah. Elle est l'œuvre d'Imhotep, qui était le ministre et l'architecte royal du pharaon Djoser. Les pyramides étaient bâties dans de grands ensembles de temples aujourd'hui disparus.

La pyramide de Saqqarah

Située à proximité du Caire, elle est constituée de 6 niveaux (ou degrés). L'architecte Imhotep a voulu créer un monument pour l'éternité en utilisant des pierres dures au lieu des briques de terre qui servaient à la réalisation des anciens mausolées des pharaons : les mastabas.

Des chantiers incroyables

La mise en chantier d'une pyramide est un travail gigantesque. Il faut des routes, un village pour les ouvriers ; si le chantier est près du Nil, on doit creuser un canal d'accès et un port de débarquement, et surtout il faut recruter des milliers d'ouvriers !

1 - caveau du roi
2 - caveau de la reine
3 - grande galerie
4 - caveau souterrain
5 - entrée de la pyramide

Kheops :
une des Sept Merveilles du monde

C'est la plus grande des 3 pyramides de Gizeh. Elle mesure 147 m de haut, comporte plus de 2,5 millions de blocs de pierre et pèse plus de 6 millions de tonnes ! Les parois, recouvertes de calcaire blanc et lisse, réfléchissaient le soleil comme un miroir. Aujourd'hui, ce revêtement a disparu. À l'intérieur se trouvent 3 couloirs qui desservent 3 chambres funéraires situées les unes au-dessous des autres.

La pyramide de Dahchour

Elle n'a pas une forme classique : elle fut modifiée en pyramide dite « courbe ». Cette forme très particulière reste un mystère car c'est la seule pyramide retrouvée ainsi.

Les trois pyramides du site de Gizeh

Kheops, Mykerinos et Khephren sont situées près du Caire. Elles sont très célèbres.

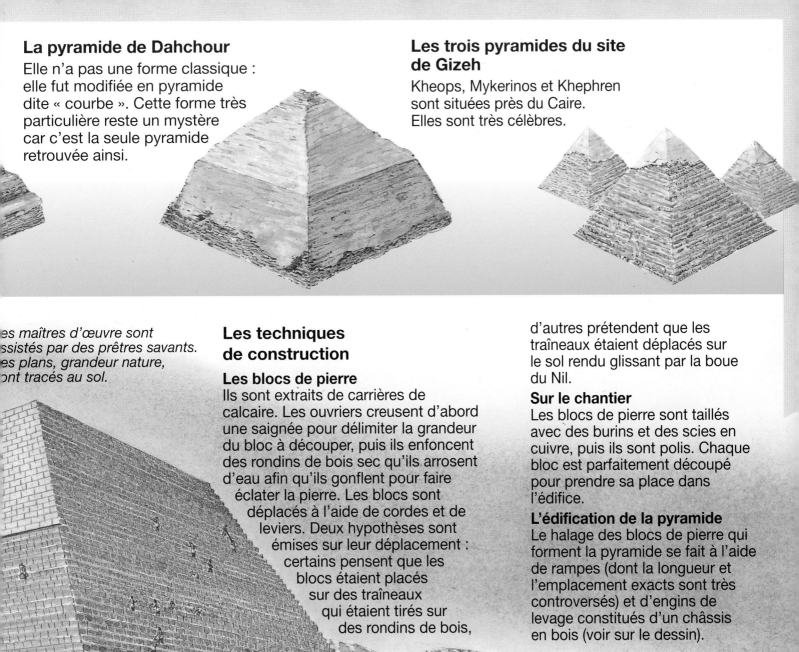

es maîtres d'œuvre sont ssistés par des prêtres savants. es plans, grandeur nature, ont tracés au sol.

Les techniques de construction

Les blocs de pierre

Ils sont extraits de carrières de calcaire. Les ouvriers creusent d'abord une saignée pour délimiter la grandeur du bloc à découper, puis ils enfoncent des rondins de bois sec qu'ils arrosent d'eau afin qu'ils gonflent pour faire éclater la pierre. Les blocs sont déplacés à l'aide de cordes et de leviers. Deux hypothèses sont émises sur leur déplacement : certains pensent que les blocs étaient placés sur des traîneaux qui étaient tirés sur des rondins de bois, d'autres prétendent que les traîneaux étaient déplacés sur le sol rendu glissant par la boue du Nil.

Sur le chantier

Les blocs de pierre sont taillés avec des burins et des scies en cuivre, puis ils sont polis. Chaque bloc est parfaitement découpé pour prendre sa place dans l'édifice.

L'édification de la pyramide

Le halage des blocs de pierre qui forment la pyramide se fait à l'aide de rampes (dont la longueur et l'emplacement exacts sont très controversés) et d'engins de levage constitués d'un châssis en bois (voir sur le dessin).

19

LES TEMPLES

En Égypte ancienne, les temples sont très nombreux. Ils sont commandés par le pharaon en l'honneur des dieux. Le temple s'intègre généralement dans un ensemble de constructions et il est aussi souvent attenant à un tombeau royal. Il représente le lieu sacré où l'on vient célébrer les dieux. Les cérémonies y sont quasi quotidiennes, mais seules quelques parties sont accessibles au peuple. Ceux qui existent encore aujourd'hui n'ont malheureusement plus les couleurs vives qui ornaient leurs murs à l'époque. Les plus célèbres temples ont été bâtis par Ramsès II, Ramsès III, Hatshepsout, Amenhotep III...

Autour du temple se dressent des annexes, le presbytère (la maison des prêtres) et des granges.

À quoi sert le temple ?

Les deux principales fonctions du temple sont les sacrifices aux dieux et l'enseignement des jeunes prêtres. Les élèves y apprennent les principes de la religion égyptienne, ses dieux, leurs coutumes, les pratiques religieuses et magiques. Chaque jour, des cérémonies célèbrent le dieu correspondant à la place des astres dans le ciel.

Les décorations

Les décors des temples illustrent la légende des dieux auxquels le monument est consacré. Les murs sont gravés de bas-reliefs, peints et ornés par des artisans formés et rémunérés par l'organisation religieuse. Les murs et piliers des temples étaient autrefois peints de couleurs vives et éclatantes.

Le temple

Le temple se compose toujours d'une entrée impressionnante, d'une grande allée centrale où défile généralement le cortège pendant les cérémonies et de différentes salles qui la longent. Ce sont pour la plupart des salles hypostyles (des salles à colonnes), dans lesquelles figurent des divinités et des représentations astrales. Dans le fond du temple est placé le sanctuaire en l'honneur du dieu ; seuls peuvent y pénétrer les grands prêtres et le pharaon.

Les temples sont toujours construits sur des lieux choisis par les anciens et en rapport avec la nature et les dieux. Ils occupent des espaces situés sur le passage d'oiseaux migrateurs, de vents dominants, ou encore des endroits qui ont eu de l'importance dans le passé.

Le soin donné aux divinités

Les offrandes doivent être présentées par des personnes qualifiées, les prêtres, pour que les dieux les acceptent. Les Égyptiens confient aux prêtres le soin d'accomplir les cérémonies de sacrifices, d'entretenir les statues des divinités et de porter les offrandes de l'entrée du temple jusqu'aux statues.

s obélisques sont élevés à l'occasion
 la célébration de certains anniversaires.
s pointes de plusieurs dizaines de
ètres de haut représentent un rayon
 dieu Soleil.

bou Simbel

e temple d'Abou Simbel est sans doute
n des plus célèbres des monuments
gyptiens creusés dans la roche.
ans la façade de grès rose ont été
culptés 4 énormes colosses de
) m de haut représentant
amsès II. De part et d'autre
 l'allée centrale se trouvent
galement 4 statues dressées.
 deux reprises dans l'année,
s rayons du soleil levant pénètrent
ans l'entrée du temple et viennent
clairer les statues qui se trouvent au
nd, à l'intérieur du sanctuaire.

LES DIEUX

La religion égyptienne foisonne de divinités, d'animaux sacrés et de créatures imaginaires à forme mi-humaine, mi-animale.
Ces divinités expriment des forces de la nature visibles et invisibles. On compte plus de 2 000 dieux dans la civilisation égyptienne qui ont tous été, selon les époques, plus ou moins vénérés.
Les dieux sont présents partout dans la vie quotidienne. Certains sont parfois représentés dans les maisons des Égyptiens sous forme de statuettes ou de peintures.
Chaque région honore son propre dieu et de grandes fêtes annuelles sont données en leur honneur.

Les animaux sacrés

Quelques animaux sont particulièrement vénérés. Parmi eux figurent :

- **l'ibis**, qui incarne le dieu Thot ;
- **le chat**, qui est sans doute l'animal sacré par excellence les prêtres nourrissent des milliers de chats ;
- **le scarabée**, qui est l'emblème sacré de la résurrection : il accompagne les morts dans leur voyage vers le jugement des dieux.

Les Égyptiens pensent que les animaux sont des messagers des dieux et, pour cette raison, ils les momifient.

Horus

C'est le fils d'Isis. Il fonde la lignée des pharaons, il est leur protecteur. Sa couleur est le rouge. Adulte, il porte une tête de faucon.

Rê

C'est le dieu du Soleil. Il parcourt le ciel sur une barque avec laquelle il traverse les ténèbres de la nuit, puis revient le jour. Sur sa couronne figure le disque solaire.

Isis

Épouse d'Osiris et mère d'Horus, elle protège la famille et les enfants. Parfois représentée avec des cornes de vache, elle donne naissance à tous les êtres vivants. Déesse et magicienne, elle guérit les maladies.

Osiris

Il juge les morts lors de leur passage dans l'au-delà. C'est l'époux d'Isis. Il est coiffé d'une couronne de roseaux et de plumes d'autruche.

Isis et Horus

Rê

Osiris

22

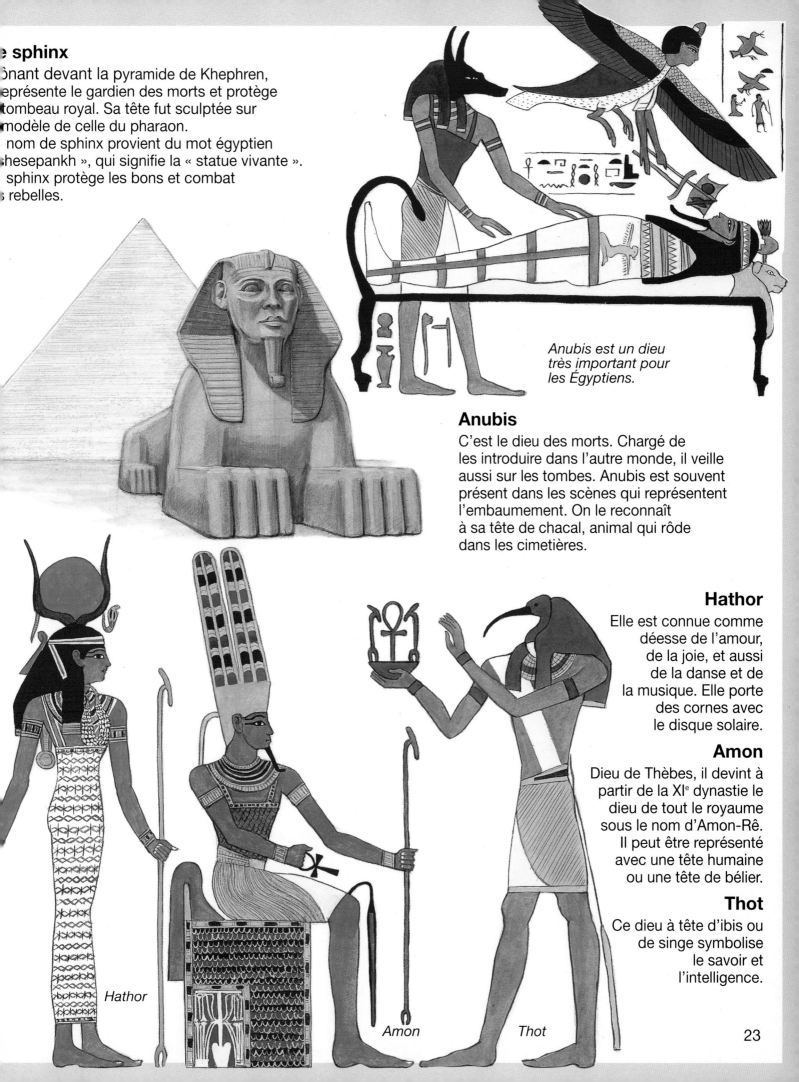

e sphinx

ônant devant la pyramide de Khephren,
eprésente le gardien des morts et protège
tombeau royal. Sa tête fut sculptée sur
modèle de celle du pharaon.
nom de sphinx provient du mot égyptien
hesepankh », qui signifie la « statue vivante ».
sphinx protège les bons et combat
rebelles.

Anubis est un dieu très important pour les Égyptiens.

Anubis

C'est le dieu des morts. Chargé de
les introduire dans l'autre monde, il veille
aussi sur les tombes. Anubis est souvent
présent dans les scènes qui représentent
l'embaumement. On le reconnaît
à sa tête de chacal, animal qui rôde
dans les cimetières.

Hathor

Elle est connue comme
déesse de l'amour,
de la joie, et aussi
de la danse et de
la musique. Elle porte
des cornes avec
le disque solaire.

Amon

Dieu de Thèbes, il devint à
partir de la XIe dynastie le
dieu de tout le royaume
sous le nom d'Amon-Rê.
Il peut être représenté
avec une tête humaine
ou une tête de bélier.

Thot

Ce dieu à tête d'ibis ou
de singe symbolise
le savoir et
l'intelligence.

Hathor

Amon

Thot

23

LE PASSAGE VERS L'AU-DELÀ

Peu d'Égyptiens ont les moyens de protéger leur dépouille, et donc leur âme, dans des pyramides ou des mastabas, mais tous peuvent se faire embaumer. Un traitement long et méthodique permet de conserver les corps avant de les ensevelir selon les rites afin qu'ils atteignent le domaine des dieux. Cérémonies et récitations de formules magiques accompagnent l'embaumement.
Les embaumeurs exercent un métier rigoureux. Cette préparation traditionnelle et sacrée montre à quel point la vie après la mort est importante pour les Égyptiens.

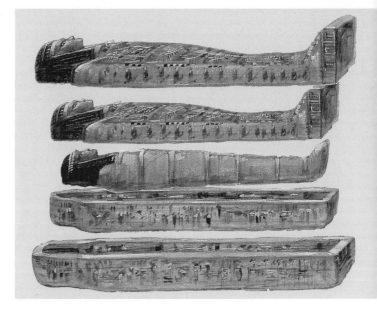

Le sarcophage et le cercueil

On appelle sarcophage la partie qui enveloppe le ou les cercueils. Il peut être en bois peint ou en pierre, décoré d'or, d'argent ou même de pierre précieuses, et représente le portrait du mort. Le sarcophage est réservé aux notables et il indique généralement par ses décors la fonction et l'importance de celui qui se présente aux dieux. Les Égyptiens qui ne sont pas nobles se content souvent d'un simple cercueil, de nattes en végétau ou de peaux de mouton.

L'embaumeme

Il se fait en différentes étapes minutieuses. Le cervea est d'abord retiré par les narines. Puis un mélange de cire, de résine et d'huiles est versé dans la boîte crânienne. Les organes, sauf le cœur, sont ensuite enlevés. Ils sont lavés au vin de palme épicé, enduits de résine, enroulés dans des bandelettes et placés dans des pots. Puis le corps est salé, afin qu'il ne se décompose pas. Au bou de plusieurs semaines de salage, on peut le protéger avec divers produits (épices, huiles cire, aromates) avant de l'enrouler dans des bandelettes de lin

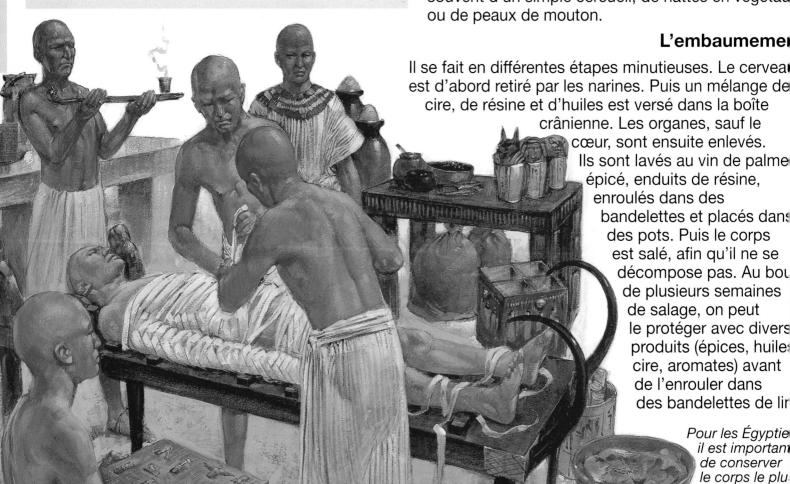

Pour les Égyptie il est importan de conserver le corps le plu longtemps possible.

Le voyage des morts

Les Égyptiens pensent que l'ouest, où se couche le soleil, est le royaume des morts.
La cérémonie du transport du défunt commence par un cortège accompagné de pleureuses professionnelles.
Devant le tombeau, différents rites ont lieu en présence du prêtre et de la famille, toujours ponctués de récits religieux et magiques, afin que le mort soit accueilli le mieux possible dans son nouveau domaine.

Dans les tombeaux

Différents objets sont déposés dans la tombe pour accompagner le mort dans son voyage. On place de la nourriture, mais aussi du maquillage pour les femmes, des objets qui sont chers au défunt, des papyrus avec des écrits religieux et, souvent, une petite barque, semblable à celle représentée ci-contre, qui symbolise le voyage vers les dieux.

La pesée du cœur

C'est une croyance très importante pour les Égyptiens au moment du passage vers l'au-delà. Anubis, dieu à tête de chacal, pose sur une balance d'un côté le cœur du mort, de l'autre la plume de la vérité. Si la balance se déséquilibre, un monstre à tête de crocodile, avec des pattes avant de lion et des pattes arrière d'hippopotame, dévore l'âme, plongeant le défunt dans une mort définitive. Si le cœur et la plume de vérité pèsent le même poids, l'âme peut être accueillie dans l'au-delà.

COMMENT CONNAÎT-ON L'ÉGYPTE ?

La civilisation de l'Égypte ancienne est de mieux en mieux connue, même s'il reste des sites immenses qui ont à peine été explorés et si certaines énigmes subsistent encore. Aujourd'hui, on dispose de nombreuses techniques modernes pour approfondir nos connaissances. Les archéologues et les égyptologues nous ont déjà beaucoup appris. Mais les fouilles sont des opérations longues et délicates et le sauvetage de certains sites demande des moyens considérables.

La tombe de Toutankhamon était constituée de 4 pièces.

Une trésor exceptionnel

La découverte du tombeau de Toutankhamon, en 1922, stupéfia autant les égyptologues que le grand public par son extraordinaire richesse. Howard Carter, qui fit cette trouvaille exceptionnelle, passa plus de 2 ans à inventorier les 3 800 objets que contenait la tombe !

L'Europe découvre la civilisation égyptienne.

Lorsque le général Bonaparte mène son expédition en Égypte en 1798, il s'entoure de savants qui repèrent les lieux de conquête. Ils s'intéressent aussi aux sites antiques qu'ils découvrent. De nombreux dessins et peintures des monuments sont faits sur place.

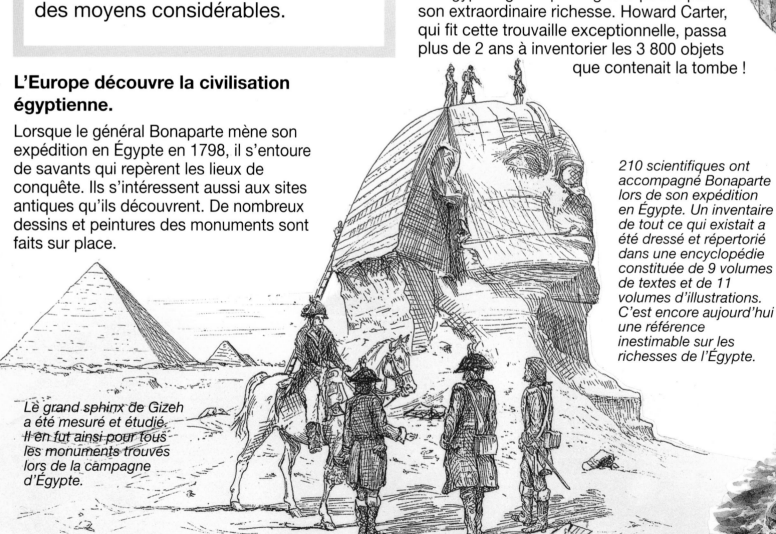

210 scientifiques ont accompagné Bonaparte lors de son expédition en Égypte. Un inventaire de tout ce qui existait a été dressé et répertorié dans une encyclopédie constituée de 9 volumes de textes et de 11 volumes d'illustrations. C'est encore aujourd'hui une référence inestimable sur les richesses de l'Égypte.

Le grand sphinx de Gizeh a été mesuré et étudié. Il en fut ainsi pour tous les monuments trouvés lors de la campagne d'Égypte.

Les nouvelles techniques

Les techniques actuelles permettent d'étudier les momies sans ouvrir le cercueil ni défaire les bandelettes. Le cercueil est passé dans un scanner et la momie est analysée par des rayons X, comme pour les êtres vivants. Grâce aux ordinateurs, il est aussi possible de reconstituer les temples et leurs intérieurs tels qu'ils étaient sous l'Égypte ancienne (voir ci-dessous).

Reconstitution du temple de Karnak sur ordinateur.

La cité d'Alexandrie

La ville avait sombré dans la mer Méditerranée, au IVe siècle, à la suite d'un tremblement de terre, puis, au XIVe siècle, ce fut le phare haut de 134 m. Après des dizaines d'années d'études et de recherches, un chantier de fouilles sous-marines exceptionnel, commencé en 1992, a permis de mettre au jour plus de 2 000 pièces d'architecture : colonnes, chapiteaux, statues...

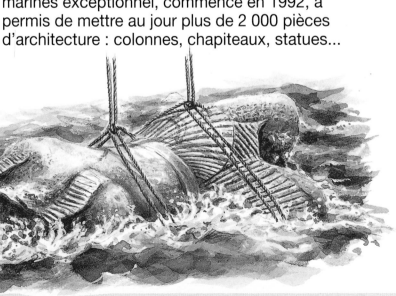

Un grand sauvetage : Abou Simbel

Lors de la construction du barrage d'Assouan, le site d'Abou Simbel allait être submergé par le lac artificiel, qui s'étend sur près de 500 km^2. Une opération internationale entreprit son déplacement vers des rives hors d'eau. À cette occasion, des équipes de spécialistes (archéologues, architectes, ingénieurs, géologues) redécouvrirent les méthodes des Égyptiens tout en employant les techniques les plus modernes.

TABLE DES MATIÈRES

ISBN : 2-215-061-15-4
© Éditions Fleurus, 1998.
Conforme à la loi n°49-956 du
16 juillet 1949 sur les publications
destinées à la jeunesse.
Dépôt légal à date de parution.
Imprimé en Italie (02-04).